S0-BCW-669

Beestenhoed

Beestenhoed

Dit boek is van

_____

Kinder- en Jeugdjury 1997

Omslagillustratie: Marjolein Pottie
Druk: Proost, Turnhout

© 1996 BAKERMAT - Mechelen
© tekst: Dirk Nielandt

Een coproductie van:

GAIA
Prinses Elisabethlaan 169
1030   Brussel

Bakermat Uitgevers België
Koningin Astridlaan 160
2800 Mechelen
tel. 015/42 05 08
fax. 015/42 06 71

Bakermat Uitgevers Nederland
Postbus 1895
1000 BW Amsterdam

Niets uit deze uitgave mag, op welke wijze ook, worden overgenomen zonder de uitdrukkelijke schriftelijke toestemming van de uitgever.

Vertegenwoordiging in Nederland: EF & EF in boeken

ISBN 90 5461 101 4
NUGI 220
D/1996/6186/03

Dirk Nielandt

Beestenhoed

tekeningen: Marjolein Pottie

Een coproductie van BAKERMAT en GAIA

Aan alle vegetariërs

1.

De kippen pikten het niet langer. Ze waren het beu om als beesten behandeld te worden, en wilden ook wel een keertje met vakantie.

De runderen waren het zat om vetgemest te worden. Ze droomden al jaren van een slanke lijn, maar een dieet werd hun telkens verboden.

De honden wilden niet langer afgeblaft worden, of buiten in de regen staan terwijl het baasje in de supermarkt z'n karretje vollaadde. Ze wilden zelf eens iets lekkers uitzoeken, maar naar hun mening werd nooit gevraagd. Erger nog, ze mochten er niet eens in.

En de paarden wilden ook wel eens wat anders dan draven of galloperen. Een ritje op de paardenmolen maken bijvoorbeeld, dat leek hen het einde.

Het was wel duidelijk: de dieren waren het spuug-zat. Ze hadden zich lang genoeg als makke lamme-tjes gedragen en hadden daarom een geheime ver-gadering georganiseerd. Iedereen was uitgenodigd en ze zaten met z'n allen rond een kampvuur. Sommigen dronken een kopje koffie. Anderen hielden het bij een glaasje water. Maar ze waren allemaal vastbesloten.

'We doen er iets aan,' klonk het strijdvaardig uit de mond van Geert, everzwijn.

'Ja, ja!' juichten de anderen.

'Morgen wordt alles anders,' schreeuwde Barend, arend.

'Maar wat doen we met de mensen?' kraaide Theo, haan.

'Laten we ze allemaal opsluiten in een mensentuin, veilig achter de tralies, en dan voeren we ze appeltjes of pindanootjes,' stelde Petra, nijlpaard, voor.

'Laten we een beetje menselijk blijven,' zei Filip, otter. 'Laten we dat hele zootje mensen gewoon een kopje kleiner maken. Ze moeten allemaal dood!'

Dat voorstel had veel succes.

'Leuk,' juichte Panda, 'maar we houden er wel enkelen in leven, dan hebben we ook een met uitsterven bedreigde soort. Daar kunnen we dan een organisatie voor oprichten die de nog overblijvende mensjes moet beschermen.'

Daar snapte niemand iets van, maar het kon de pret niet bederven.

'Uitmoorden? Ik weet nog iets veel ergers,' ratelde Sneek, slang.

'O ja?' vroeg Piet, konijn.

'Verdwijnen,' antwoordde Sneek.

'Verdwijnen?' vroeg Ciske, rat.

'Ja, natuurlijk,' zei Sneek. 'De mensen hebben ons vernederd, vertrappeld, onderdrukt en opgevreten.

Ze hebben nooit een greintje respect voor ons gehad.
Maar wat moeten ze zonder ons?'
Het bleef een ogenblik stil.
'Zonder ons zijn ze verloren,' siste Sneek.
Het bleef weer even stil. Iedereen dacht na.
'Dus,' zoemde Toon, hommel, 'als we de mensen in
de steek laten, smeken ze ons binnenkort om terug te
komen.'
'Hoera! Laten we met z'n allen het hazenpad
kiezen!' riep Saskia, haas.
'Wat een enig idee,' zong Adje, nachtegaal.
'Maar waar naartoe?' vroeg Lies, vleermuis.
'Overal zijn mensen.'
'Niet overal,' kirde Henk, duif. 'Ik weet nog een
plekje in een hoge hoed die ooit van een goochelaar
is geweest. Er is ruimte voor iedereen, en ik heb er
nooit een mens ontmoet.'
De dieren pakten hun boeltje en verdwenen. De
paarden op een drafje. De muizen op een holletje.
De vogels op een wolkje. Middenin de nacht. Ze
sprongen één na één in de hoed. Met een plofje.
En geen mens die iets had gehoord of gezien. De
dieren lieten geen spoor na. Geen briefje, niets.

2.

Het was een treurige morgen. Geen kwispelende honden in huis, geen katten die kopjes gaven, en de vogelkooi was leeg. Buiten viel ook al niet veel te beleven. De mussen en duiven, de kraaien en eenden, ze waren allemaal verdwenen. In de wei viel geen paard, geen koe, geen schaap, zelfs geen kever te bespeuren. De boeren schreeuwden moord en brand. Ze vonden verlaten stallen, lege kippenrennen en uitgestorven binnenplaatsen. Geen gebrom van bromvliegen rond de mesthoop, geen gekwaak van ganzen in de tuin. Er kwam zelfs geen geknor uit het varkenshok.

En in de zoo klonk hetzelfde liedje. Alle dieren leken hun huur opgezegd te hebben en waren met de noorderzon verdwenen. De nachtwaker had niets gemerkt. Hij had gewoon lekker geslapen.

Was de antilope gaan lopen? Was de zeekoe met het zeepaard in zee gegaan? Had de neushoorn de stier bij de horens gevat? Was de olifant over het paard getild? Niemand wist het.

Maar er was nog meer aan de hand: het paard op de paardenposter van Evelien was spoorloos. Waar de merrie met haar veulen stond, was nu een witte vlek. En in het sprookjesboek van Steven moest Roodkapje het plotseling zonder de wolf opknappen. En alle plaatjes in het dierenprentenboek van Wander waren leeg. Alsof iemand er alle dieren had uit weggeknipt. Het was heel verdrietig: alle knuffelberen, pluchen honden en speelgoedpony's waren plotseling onvindbaar. Het hobbelpaard van Sven was verloren. Het tekenfilmkonijn waar Majo dol op was, leek van de videoband gespoeld. De badeend van Eef was verhuisd en niemand wist waar naartoe. In de supermarkt was het al niet beter. De voorraad koteletjes was op. Wie om haring vroeg, ving bot. Niemand zag nog ergens een blinde vink. De houdbaarheidsdatum van de hondenbrokjes was ver-

streken. En zelfs het tuingereedschap bleef niet ge-
spaard: de tuinslang was weg.

Alles wat een klein, of een groot beetje dier was,
leek van de aardbol gevaagd. De inwoners van
Dieren waren hun dorp verloren. Het adres van de
bewoners van de Tarbotstraat was zoek. De familie
Duiven had geen naam meer. In het bos was alles
muisstil. In het oerwoud viel geen spoor van apen-
streken te bekennen. In het circus kon je alleen nog
naar een huilende leeuwentemmer gaan kijken. En
in het uitstalraam van de slager naar een jam-
merende slager. De verwarring was groot.

Alle zebrapaden waren spoorloos, dus het verkeer
liep hopeloos in de knoei. De dierenliefhebbers
moesten voortaan iets anders liefhebben. Ze

probeerden het met cactussen, maar die prikten en dat deed pijn. De jagers moesten op zoek naar een andere prooi. Ze begonnen op prei te schieten. Inbrekers voelden zich verloren zonder waakhond die hen het leven zuur maakte. Ze vergaten de juwelen en stalen alleen nog spullen waar geen hond iets aan had.

En de beerput was leeg. Roddeltantes konden niet meer luistervinken. Het buurmeisje kon niet meer kattig zijn. Van een mug kon je geen olifant meer maken. Je kon geen vlieg kwaad meer doen.

Geen miauw, gemekker of poep meer op de stoep. Afgelopen.

voor   na

3.

Het was een vrolijke beestenbende in de hoed. Iedere dag was een feest, en de dagen leken eindeloos. De dieren vergaten zelfs de tijd, zodat na een poosje niemand meer wist hoelang ze daar al woonden. Twee maanden? Acht jaar? Eerlijk gezegd, er kraaide geen haan naar.

Pal in het midden van de hoed stond een reusachtige eik. Zijn stam was zo dik dat geen enkel dier er ooit helemaal was rond gelopen. Zijn takken reikten tot ver voorbij het verste punt waar ooit iemand een poot had gezet. Dus iedereen vond een plekje onder of op of in de grote eik.

En iedere avond verzamelden de dieren bij de plas onder de noordelijkste tak. Daar werden lekkere hapjes rondgedeeld, en was er altijd wel iemand die de boel vermaakte.

'Zit!' brulde Tony. 'En pootje geven!' Hij keek heel streng.

De andere honden lagen in een deuk. Tony kon als geen ander het volstrekt onnozele gedrag van een mens nabootsen.

'En breng nu de pantoffels van het baasje!' grapte hij.

De anderen juichten.

'Hoe hebben ze ooit kunnen denken dat wij hen als *baasjes* beschouwden?' vroeg Ester, buldog, zich af.

'Ach, ze geloofden zelfs dat ze ons konden africhten,' antwoordde een van de andere honden.

Dat vonden de meesten een giller.

'Terwijl wij het waren die hen africhtten!' bulderde Bas, een loebas van een terrier. 'Zij moesten hele dagen naar school, of hard werken op een kantoor of in een fabriek, terwijl wij een uiltje knapten op de sofa.'

'Let op je taal!' onderbrak Greetje, uil, het gesprek. 'Hier worden mensjes geknapt, geen uiltjes.'

'En er worden evenmin hazeslaapjes gehouden,' vulde Sam, haas, haar aan.

'Sorry hoor,' zei Bas, 'maar ik bedoelde alleen dat wij lekker konden nietsnutten, terwijl de mensjes zich dag na dag uit de naad werkten om onze brokjes te betalen.'

'Jullie hebben makkelijk praten,' zei Truus, koe. 'Ik heb mijn hele leven in een stal doorgebracht, werd iedere dag uitgemolken, en zag mijn kinderen één voor één naar het slachthuis verdwijnen.'

Ze veegde een traan weg.

Bas besefte dat hij geluk had gehad. Hij gaf Truus een vriendschappelijke lik, en Truus voelde zich meteen een stuk beter.

'Alarm!' piepte iemand in de verte. Iedereen spitste de oren.

'Help!' hoorden ze iemand roepen. Het was de eerste keer sinds ze in de hoed woonden dat iemand om hulp riep.

'Keesje is weg!' riep een stem in de verte. Het was Eva, muis. Ze kwam haastig aangetrippeld en ging tussen de anderen zitten.

''t Is verschrikkelijk,' jammerde ze. 'Het was net aan tussen ons. We zochten een rustig plekje om te strelen en te zoenen. En Keesje dacht dat hij zo'n plekje had ge-vonden. Hij zag een donker holletje en kroop erin om het te onderzoeken. Maar hij verdween met een plofje naar buiten, de mensenwereld in.'

Dat holletje was eigenlijk de uitgang van de hoed en dat was niet zo best. Keesje kon wel eens in de klauwen van de mensen terechtgekomen zijn. Dan was hij verloren. Of hij kon de mensen op het spoor van de hoed brengen en zo de schuilplaats van de dieren verraden. Dan was het uit met de pret. Dat mocht dus niet gebeuren. Er moest iets ondernomen worden.

De dieren klopten aan bij Gilbert, ezel. Hij was wijs en wist altijd raad. Ook ditmaal. Hij had meteen een plan.

4.

Jetje was een dikke, harige, zwarte reuzenspin. Haar man was jaren geleden uit z'n web gevallen en overleden. Ze was dus weduwe.

Om één of andere reden begonnen mensen telkens onbedaarlijk te gillen als ze tevoorschijn kwam. Ze was nochtans een aardige vrouw en ze deed niemand kwaad. Maar dat hoge en schrille geschreeuw van de mensjes werkte haar soms op de zenuwen en dan werd ze behoorlijk giftig.

Gilbert wist dat de mensjes doodsbang waren van griezelige spinnen. Ze zouden geen vinger naar haar durven uitsteken. Ze zou dus ongestoord naar Keesje kunnen zoeken.

Jetje ging meteen akkoord. Ze was zelf achtentwintig keer verliefd geweest, en wist hoe kostbaar een liefje was.

'Ik zal goed op je web passen,' zei Eva.

'Vergeet je niet de planten water te geven?' vroeg Jetje nog.

De twee omhelsden elkaar.

'Ik zal je altijd dankbaar zijn,' fluisterde Eva. En Jetje verdween, met een plofje.

Ze kwam in een donkere ruimte terecht.

'Keesje?' riep ze. Niemand antwoordde.

Jetje kroop een eindje verder. Ze hoorde mensen praten en verroerde zich niet.

'Nog iemand een kommetje slasoep?' hoorde ze een vrouw vragen.

'Ik lust geen slasoep!' bromde een kinderstem.

'Wat waren dat ook weer voor gekke wezens?' vroeg Jetje zich af over de mensen.

Ze haastte zich naar de plaats waar de stemmen vandaan kwamen en ze zag een jongetje met tegenzin een kommetje soep uitlepelen.

Jetje rekte zich om goed te kunnen kijken, maar ze werd een ogenblik verblind door het licht van een lamp. Toen ging alles heel snel.

'Iiih!' hoorde ze iemand gillen.

'Een spin!' riep iemand anders.

'Hoera!' juichte een kinderstem.

Jetje kreeg niet eens de kans om te vluchten. Ze werd opgetild, op de tafel gezet, en onder een glazen slakom gevangen genomen. Vier gezichten staarden haar aan alsof ze een wereldwonder was. Een moeder, een vader en twee kleintjes. Het jongetje grijnsde.

Jetje zette haar haren overeind en hapte haar longen vol lucht. Dat maakte haar bijna dubbel zo groot. Ze zag er nu echt heel gevaarlijk uit. Daar jaagde ze zelfs de moedigste mensen mee op de vlucht. Maar deze vier bleven gewoon staan.

Jetje nam een aanloop en bonkte met haar lijf tegen
de glazen wand van de slakom. Het lukte haar de
kom een eindje te doen schuiven. Vroeger had dit
volstaan om de mensen gillend van doodsangst uit
de kamer te jagen, maar dit viertal verroerde zich
niet.
Jetje siste en spoot een straaltje gif tegen de wand
van de slakom. Dat gif was levensgevaarlijk en
meestal voldoende om mensen jarenlang nachtmer-
ries te bezorgen. Deze vier gaven geen krimp.
Jetje was helemaal de kluts kwijt.
'Hé, spinnetje,' fluisterde de jongen lief, 'wij willen
je geen kwaad doen hoor.'
'We hebben je gemist,' zei het meisje zachtjes.
'We waren vergeten dat je zo mooi was,' zei de
moeder.
Jetje mooi? Dat had nog nooit iemand tegen haar
gezegd.

Ze bekeek zichzelf in het glas en moest toegeven dat ze er zo gek niet uitzag.

'Wil je bij ons blijven?' vroeg het jongetje vriendelijk.

'We zullen heel lief voor je zijn,' beloofde het meisje.

De kinderen tilden voorzichtig de slakom op. Jetje kon nu moeiteloos ontsnappen, maar ze wilde niet onbeleefd zijn. Per slot van rekening hadden de mensjes haar een complimentje gegeven en dat vond ze heel aardig. Bovendien streelden de kinderen zachtjes haar rug en gaven ze kusjes op haar hoofdje. Dat voelde zo prettig.

Jetje besloot een poosje te blijven logeren.

5.

Die avond in de hoed sloegen de dieren het feest een keertje over. Ze treurden omdat Jetje niet was teruggekeerd.

'Ze is misschien gewoon verdwaald,' probeerde Gilbert de anderen gerust te stellen. Hij durfde het niet toe te geven, maar hij was zelf ook een beetje bang dat haar iets ergers was overkomen.

Eva vreesde dat ze Keesje voorgoed kwijt was.

'Vooral de moed niet opgeven,' sprak Gilbert. 'Ik heb nog een plan.'

Iedereen zweeg.

'We vragen het aan Sofie,' zei Gilbert.

Dat vonden ze allemaal een goed idee.

Iedereen kende Sofie, krokodil. Ze was een echte kwebbeltante. Ze taterde en taterde maar, haar tater stond nooit stil. En met haar mond vol scherpe tanden kon ze in één hap een leger mensjes verorberen. Daarom speelde ze vroeger vaak de hoofdrol in sprookjes en legendes. Telkens was ze een lelijk monster waarvoor kleintjes diep onder de lakens wegkropen.

'Wees op je hoede,' waarschuwde Gilbert haar.

'Mensjes zijn niet te vertrouwen.'

'Maak je niet ongerust,' zei Sofie. 'Iedere vinger die ze naar me durven uitsteken, vreet ik op. En wie een beetje lekker smaakt, slik ik helemaal naar binnen.'

Ze verdween, met een plofje, en landde op de top van een berg.

Het was er ijskoud. De sneeuw blies in haar gezicht en haar tenen vroren bij min tien aan de grond. Dit was geen plekje voor Sofie. Zij was de warmte gewoon. Ze probeerde nog de ingang van de hoed terug te vinden, maar tevergeefs. Het leek wel of de hele wereld bedekt lag met sneeuw.

Sofie huppelde en sprong. Ze maakte gekke tuimelingen en schudde de sneeuw van haar tenen. Ze mocht vooral niet blijven stilstaan, anders veranderde ze ter plekke in een ijsklomp.

Plotseling stond een familie Eskimo's, allemaal met een grote glimlach, voor haar. Ze applaudiseerden.

Sofie wipte van het ene been op het andere, alsof ze een plasje moest doen.

De Eskimo's lachten en klapten vrolijk in hun handen. Ze vermaakten zich met de dansende krokodil.

Sofie vond al dat succes wel leuk, maar ze herinnerde zich de woorden van Gilbert: 'Vertrouw geen mens.'

Daarom stormde ze op een Eskimo af. Eentje die er lekker knapperig uitzag. Ze wilde hem in één hap verorberen, maar ze kreeg haar mond niet open. Hoe hard ze ook probeerde, het lukte niet. Haar kaken

zaten stijf dichtgevroren. Wat een pech!

De Eskimo had medelijden met de krokodil. Hij sloeg een warme jas over Sofies schouders, en droeg haar naar zijn huis. Eén van de Eskimovrouwen liet een warm bad vollopen. Sofie mocht languit in het water gaan liggen.

O, wat vond ze dat heerlijk. Haar koude lijf ontdooide ogenblikkelijk, en de hete damp zorgde ervoor dat haar kaken loskwamen. Sofie dompelde zich helemaal onder in het warme sop, alleen haar ogen kwamen nog boven het water uit. En elke vijf minuten draaide ze de kraan een ogenblik helemaal open. Zo kreeg het water geen kans om af te koelen. De volgende ochtend lag Sofie nog te genieten. De Eskimo's vonden het welletjes zo. Ze wilden ook een keertje in bad.

Maar Sofie weigerde eruit te komen. Ze wilde niet

terug in de vrieskou. Dus 's avonds lag ze nog in het dampende water. En de volgende ochtend ook. En een maand later nog.

De Eskimo's hadden al behoorlijk spijt dat ze hun bad hadden uitgeleend. Ze konden zich al die tijd niet wassen, wat je trouwens van ver kon ruiken.

Teneinde raad besloot iemand op een dag bij Sofie in bad te stappen. Dat was een hele belevenis. Iedereen gluurde mee door het sleutelgat.

Sofie moest vreselijk lachen om de blote Eskimo, maar het klikte meteen. Waarom hadden ze dat niet veel eerder gedaan? Sofie vond visite juist heel gezellig. Kletsen dat ze deed!

Dus van toen af aan kroop de familie Eskimo gewoon bij haar in bad. En Sofie bedacht allerlei leuke spelletjes. Het was reuzeleuk.

6.

In de hoed wachtte iedereen vol ongeduld op de terugkeer van Sofie. Iedereen verwachtte haar met Keesje en Jetje, en met een heleboel sterke verhalen. Maar na enkele dagen zonder een teken van leven, bleef er bij de meesten niet veel hoop over. Sofie werd stilletjes aan het lijstje vermiste dieren toegevoegd.

Gilbert krabde zich in het haar. Hij vond dat ze de mensjes eens flink mores moesten leren, maar hoe? Jeroen, vlo, had een idee. Hij kende een koppel dinosaurussen en volgens hem konden ze met blote handen de mensheid wel een keertje of twee vermoorden.

Jeroen kreeg de opdracht om de dinosaurussen te halen, maar toen hij daar aankwam stonden ze net klaar om op vakantie te vertrekken. De dino's hadden lang naar hun reis uitgekeken. Het hotel was al betaald, dus konden ze hun plannen niet zomaar wijzigen. Ze wilden de mensjes met plezier uitroeien hoor, maar dan een andere keer, als ze terug uit vakantie kwamen en helemaal uitgerust waren.

Weg waren ze. Ajuus. Maar ze zouden zeker een

kaartje sturen. Met voor iedereen heel veel zonnige groetjes. Nou, mooie boel.

Diezelfde avond vroeg Gilbert aan de dieren of iemand een idee had om Sofie en Jetje en Keesje terug te halen. Maar alle dieren staarden plots naar de lucht en begonnen een deuntje te fluiten. Het was wel duidelijk dat niemand een plan had.

Behalve Bas misschien. Hij was bevriend met het monster van Loch Ness. Misschien kon die de vermiste dieren opsporen. Maar het monster zag er een beetje tegenop. Hij was net aan het schaken en vond het zonde om dat partijtje te onderbreken.

Tenslotte kwam Machteld, olifant, met een plan op de proppen. Zij stelde voor om met wat vrienden een middagje keet te gaan schoppen in de mensenwereld. Zo'n troep olifanten kon immers, als ze eenmaal op dreef waren, aardig wat mensjes vertrappelen.

Dat vond iedereen een prachtig idee.

Machteld vertrok met in haar voetspoor een heleboel vrienden, allen vastbesloten om de mensjes de stuipen op het lijf te jagen. Maar de olifanten hadden pech: ze kwamen ergens terecht waar het confetti sneeuwde en een parade gek geklede mensen door de stad trok. Het was immers carnaval, dus trok de carnavalsstoet door de straten. Niemand keek er van op dat plotseling een stel uitgelaten olifanten door de winkelstraat daverde. Integendeel, hoe harder de dieren met hun poten stampten, hoe luider de menigte juichte.

Machteld vuurde haar vrienden aan om stampij te maken. Maar het hielp niks, want de boel op stelten zetten, hoort nu eenmaal bij carnaval. Hoe meer kabaal, hoe liever. Dus niemand stoorde zich eraan dat hier een uitstalraam sneuvelde, of daar een venster brak.

De olifanten probeerden de zaak nog te redden door heel angstaanjagend te trompetteren en hun slurven dreigend tussen het publiek te slingeren. Maar dat leek de carnavalspret alleen maar te vergroten.

Ze probeerden nog wat mensjes te vertrappelen, maar dat lukte ook al niet. De feestvierders beschouwden het gejaag als een gek spelletje.

Het uitstapje van de olifanten leek op een grote mislukking uit te draaien. De dieren werden zelfs uitgeroepen tot carnavalshit van het jaar. Ze wonnen de eerste prijs, en werden op handen naar het stadhuis gedragen. Daar ontvingen ze een medaille van de burgemeester.

Het was een mooie penning. En Machteld vond zichzelf leuk staan met dat ding rond haar hals. Haar vrienden waren eigenlijk wel trots op de prijs. Hier en daar begon een olifant een gekke bek te trekken en een carnavalslied mee te zingen. Sommige olifanten waagden zich zelfs aan een danspasje.

De dieren kregen ook allemaal een feesthoed op. En ze mochten pannekoeken eten zoveel ze wilden, helemaal gratis.

Nou, er geraken heel wat pannekoeken in één olifant. Het duurde dus een hele poos voor al die olifantenbuiken gevuld waren. Maar de dieren in de hoed begrepen natuurlijk niet waarom de olifanten zo lang wegbleven.

7.

Sara, pinguïn, was de volgende die op pad werd ge-
stuurd, want ze kon net als de mensjes mooi rechtop
lopen. Uitgedost met een pruik van paardehaar, een
jas van struisvogelveren en een paar oude schoenen,
zag niemand het verschil nog.
Sara was er zelf niet helemaal gerust op, maar de
andere dieren verzekerden haar dat ze van geen
mensje te onderscheiden viel. Vooruit dan maar. Ze
sprong in de hoed en landde met een plofje in een
koelkastenwinkel.
'Kan ik u helpen?' vroeg een jongeman.
Sara draaide zich om en stond oog in oog met een
verkoper. Zijn ijskoude blik herinnerde haar aan de
prachtige fjorden van haar geboorteland.
'Zoekt u een koelkast met of zonder diepvriesvak?'
vroeg de jongeman.
Zijn koele stem deed Sara smelten. Haar hart klopte
wel driemaal zo snel.
Zo voelt het dus om verliefd te zijn, dacht ze.
Maar de jongeman wilde alleen weten of ze een
koelkast met of zonder diepvriesvak wenste.
'Mét,' antwoordde Sara, want ze wilde samen met

hem de rest van haar leven een diepvriesvak delen.
'Volgt u mij maar,' beval de jongen vriendelijk.
En het tweetal beleefde een heerlijke middag. De jongeman toonde haar één voor één alle modellen. Sara testte ze uit, zonder hem ook maar een ogenblik uit het oog te verliezen. Ze kroop in ieder diepvriesvak, en koos tenslotte de allerkoudste.
'Een uitstekende keuze, mevrouw,' knikte de jongeman.
O, wat was hij romantisch.
'En waar mag de koelkast geleverd worden?' vroeg hij.
'Nergens,' antwoordde Sara verbaasd. 'Hij staat hier prima.'
Maar genoeg gepraat. Het leek wel of de jongeman nog nooit van zoenen had gehoord. Sara sprong op een krukje en hoopte zo aan zijn lippen te kunnen. Maar haar pruik bleef achter een diepvriesdeur haken. Ze verloor het evenwicht, viel op de grond en de pruik van paardehaar bleef wat hoger hangen. Wat stom. Ze had zichzelf verraden. Nu zou hij het vast uitmaken, want wie wil nu een pinguïn kussen? Maar de jongeman keek plotseling helemaal anders uit zijn ogen. Zijn blik bevroor, alsof hij plotseling in een bad vol ijsblokjes was getuimeld. Sara vond hem nog mooier zo. De jongen knielde bij haar neer en fluisterde: 'Ik hoop dat je het me niet kwalijk neemt, maar ik vind je onweerstaanbaar.' Hij drukte zijn lippen op die van Sara.

De kus leek een eeuwigheid te duren.

'Vergeef me,' herhaalde hij terwijl hij naar adem hapte.

'Niet zeuren, doorgaan!' beval Sara en ze drukte haar lippen op de zijne.

De twee hielden veel van elkaar, dat zag je meteen. En de klanten in de winkel reageerden heel enthousiast op het jonge stel.

'Kijk, zo hou je van iemand,' sprak een moeder tot haar zoontje.

'Dat is nou liefde,' zuchtte een oma terwijl ze glimlachend toekeek hoe de twee elkaar liefkoosden.

'Dit zouden ze bij wet moeten verplichten!' bromde een politieagent die het jonge paar zag zoenen.

En er werden die middag veel meer koelkasten verkocht dan gewoonlijk.

Maar na al dat zoenen en slubberen, had Sara trek in een ijsje. Het ijs was op, maar de jongeman trakteerde haar op een diepvriespizza. Hij was heel attent. En hij vroeg of ze elkaar de volgende dag weer konden ontmoeten.

'Ik ga nergens naartoe hoor,' juichte Sara. 'Ik heb hier een prima diepvriesje en je bent altijd welkom.'

De jongen kocht een warme mantel en een dikke sjaal en hij kroop bij Sara in de diepvries.

Het was er niet warm, maar wel knus en gezellig. Sara vergat helemaal dat er ergens een hoed bestond waarin een heleboel dieren op haar zaten te wachten.

8.

Wat erg! De dieren renden angstig door elkaar op zoek naar een holletje, een gaatje, of een plekje om zich te verbergen.

Krisje, pelikaan, liet een hele familie geiten in haar mond schuilen. Zij verborg zich op haar beurt tussen de twee bulten van Paul, kameel. Paul mocht zich dan weer achter de rug van Klaar, nijlpaard, verschuilen. En Klaar kroop in de eik om zich achter een dikke tak met veel bladeren te verstoppen. Zo vond iedereen wel een veilig plekje. Ze hielden hun adem in. Je kon alleen de voetstappen van de indringer horen.

'Joehoe,' riep een mensje.

Er liep een mens in de hoed rond.

'Oehoe,' wilde Jantje, uil, antwoorden, maar ze bedacht zich gelukkig net op tijd.

'Is er iemand thuis?' riep het mensje. Hij keek omhoog en zag daar iets bewegen.

'Hé daar!' riep hij. 'Kom naar beneden. Ik heb een brief voor je.'

'Voor mij?' vroeg Klaar verbaasd.

O, wat stom stom stom. Nu had ze zich verraden, en

daardoor ook Paul en Krisje en de hele familie geiten.

'Ben jij Eva?' vroeg het mensje.

'Nee, stomkop, ik ben Klaar,' antwoordde ze.

Alleen een mensje kon zo dom zijn om het verschil niet te zien tussen een muis en een nijlpaard.

'Sorry, hoor,' zei het mensje, 'dan is de brief niet voor jou bestemd.'

Klaar voelde zich beledigd. Ze klom naar beneden en bekeek het mensje.

'Weet jij toevallig waar Eva woont?' vroeg hij. Het mensje zag er eigenlijk nog zo kwaad niet uit.

'Heb je een ogenblikje?' vroeg Klaar beleefd.

'EVA?' brulde ze. Nou, als een nijlpaard haar mond opentrekt, komt daar flink wat lawaai uit. De hele eik trilde ervan. Er knakte zelfs een tak. De tak viel op de grond en zette het meteen op een lopen. Het was Willy, wandelende tak.

'EVAAAA!' probeerde Klaar nog een keer. De dieren vielen nu bij bosjes uit de boom. Eva zat er ook ergens tussen.

'Daar is ze,' wees Klaar triomfantelijk naar Eva.

Het mensje stapte naar Eva en gaf haar een brief.

'D...d...dankjewel,' stamelde Eva.

'Geen dank hoor,' knikte het mensje. 'Ik ben de postbode en het is mijn plicht om brieven te bezorgen, waar je ook woont.'

Eva deed de brief open, gaf een luide gil en viel toen flauw.

'Dat vind ik flauw,' kloeg de postbode. 'Ik heb zo mijn best gedaan om haar te vinden en nu leest ze de brief niet eens!'

Eva was ondertussen weer bijgekomen en zat recht-op.

'Het is een brief van Keesje,' fluisterde ze.

Hij schreef dat ze zich geen zorgen over hem moesten maken. Hij speelde de hoofdrol in een heleboel films, en heette voortaan Mickey. De mensjes hadden hem die naam gegeven omdat ze vonden dat Keesje geen geschikte naam was voor een filmster.

Er zat ook een foto bij de brief. En een grote poster om aan de muur te hangen. En een paar pantoffels. En een videoband. En op al die spullen stond een afbeelding van Keesje, die nu Mickey heette.

Eva was reuzetrots.

'Goed, dan ga ik maar weer,' zei de postbode.

'Wacht eens even!' zei Wouter, walrus, dreigend. Hij ging pal voor de postbode staan. 'Hoe weten wij nou dat je geen andere mensjes op ons afstuurt?'

'Er bestaat zoiets als briefgeheim hoor,' antwoordde de postbode.

'O ja... ja... da's waar ook,' zei Wouter en hij liet de postbode gaan. Die verdween met een plofje weer naar buiten.

Daarna vroegen alle dieren aan Wouter wat een briefgeheim was. Maar daar had hij geen antwoord op. Niemand wist wat het betekende, dus niemand wist wat er nu ging gebeuren.

9.

Sommige dieren hadden een invasie verwacht in de hoed, maar die bleef uit. Zouden de mensjes plots eerlijk en betrouwbaar geworden zijn? Dat leek onmogelijk, maar de dieren waren toch nieuwsgierig naar wat daarbuiten allemaal gebeurde.

Gilbert bond een touw rond zijn middel en knoopte het andere eind aan een tak vast. Hij vroeg aan de anderen of ze hem na twintig tellen weer naar binnen wilden trekken. En Gilbert ging, met een plofje natuurlijk.

Hij landde op een voetbalplein en kreeg een bal tegen zijn hoofd.

'Auw!' schreeuwde hij en schopte boos de bal weg. Plots begon een duizendkoppige menigte te juichen. Gilbert schrok.

Er kwamen enkele kerels in een kort broekje op hem toegelopen. Ze vlogen rond zijn hals. 'Goal! Goal!' riepen ze vrolijk en ze kusten hem dat het een lieve lust was.

Gilbert had altijd een pesthekel gehad aan natte zoenen van ooms of tantes, dus dit vond hij een nachtmerrie. Gelukkig begon het touw rond zijn middel te spannen en werd hij met een stevige ruk terug in de hoed gekatapulteerd.

'Bedankt, jongens,' zuchtte hij. 'Jullie hebben me uit de klauwen van een stel zoenzieke kerels gered.'

Maar hij wilde het nog eens proberen, en deze keer moesten ze tot zestig tellen om hem terug te halen. Dus Gilbert plofte weer naar buiten, de mensen-wereld in.

Hij kwam in een klasje terecht waar kinderen op hun schoolbanken stonden te dansen en met krijtjes naar elkaar gooiden. Ze kropen met z'n allen op Gilbert en gleden van zijn hals af.

Het herinnerde hem aan de afschuwelijke bezoekjes van zijn neefjes. Die wilden altijd 'ezeltje prikje' spelen, maar hij haatte dat soort kinderspelletjes.

'Ga ogenblikkelijk van mijn rug!' schreeuwde Gilbert boos.

De kinderen dachten er nog niet aan. Ze vonden hem veel te leuk speelgoed.

'Hou ermee op!' riep hij tegen twee joelende kinderen die zijn staart gebruikten om touwtje te springen. De kinderen gingen er gewoon mee door.

'Is er niemand die op jullie past?' vroeg hij aan een kind dat zijn tanden als xylofoon gebruikte. Het kind antwoordde niet eens.

'Lieve dieren in de hoed,' smeekte Gilbert, 'haal me alsjeblieft terug.'

Hij wachtte zestig tellen, maar voelde het touw om zijn buik maar niet strakker worden.

Waar wachten ze nou op? vroeg hij zich af terwijl de kinderen zijn rug als springmatras gebruikten.

De hoed stond in rep en roer.

'Gilbert heeft duidelijk gezegd dat we zestig tellen moesten wachten voor we hem naar binnen mochten slepen!' zei Wilma, struisvogel, streng.

Goed en wel, maar niemand kon verder tellen dan drieënveertig. Dat was dus een probleem.

'Nou, we zullen ondertussen wel zestig tellen ver zijn,' probeerde Bas.

'Hoe weet jij dat?' riep Femke, mier. 'Je weet toch hoe Gilbert is: hij doet altijd heel lastig als we zijn instructies niet volgen.'

'Laten we het toch maar doen,' kraaide Eric, kraai. En de dieren begonnen aan het touw te trekken.

Eindelijk, dacht Gilbert. Hij schoof met kleine rukjes de gang op.

De kinderen vonden het niet leuk dat hun speeltje verdween. Ze grepen Gilberts staart beet en trokken hem weer in de klas.

De dieren in de hoed voelden dat er aan het andere eind van het touw getrokken werd. Ze zetten zich schrap en begonnen harder te trekken. Maar de kinderen lieten niet los. Ze spanden met z'n allen samen om het dier in hun klas te houden.

En Gilbert had geen andere keuze dan het touw in een touwtrekwedstrijd te spelen.

Arme Gilbert.

10.

Uiteindelijk trokken de dieren aan het langste eind.
'Hoera!' riepen ze terwijl Gilbert met een stevige ruk naar binnen werd gehaald.
'O, jee,' schreeuwde Nancy, ooievaar, geschrokken. Er bengelden twee kinderen aan Gilberts staart. De dieren staarden met ingehouden adem naar de twee kleine kereltjes. Wat moesten ze daar nou mee?
De kinderen leken er weinig moeite mee te hebben dat ze in een beestenhoed waren aanbeland. Eerst keken ze een beetje angstig rond, maar ze voelden zich al snel thuis. Ze vonden het net een pretpark en ontdekten het ene leuke spelletje na het andere. De nek van de giraf was een ideale glijbaan. In de buidel van de kangoeroe kon je als een springbal rondspringen. De paashaas zorgde voor verse chocolade. Leuker konden ze het zelf niet bedenken. Maar de dieren werden doodmoe van de twee kleine mensjes. Ze gingen maar door met rennen en joelen, en gunden de dieren geen ogenblik rust.
'Ik heb m'n slaap hard nodig,' kloeg Tania, marmot.
'Ze halen niks dan kattekwaad uit,' miauwde Joris, kater. Hij klonk heel boos.

'En ze vragen niet eens of ze op je rug mogen zitten,' jammerde Eric, hobbelpaard, 'ze doen het gewoon.'

'Ze zijn ongemanierd,' bromde Brom, bromvlieg. 'Gisteren hebben ze mijn hele voorraad honing opgesmuld. Zonder iets te vragen.'

Ondertussen waren de twee kinderen volop in de weer om het huis van de zeven geitjes overhoop te halen.

Toen Lyn, adelaar, ontdekte dat het tweetal enkele van haar veren gestolen had om er een indianenpak mee te versieren, zei ze streng: 'We moeten dat grut wat beleefdheid leren.'

'Juist!' riepen de anderen in koor.

Liesje, koe, voelde zich niet te beroerd om het tweetal wat beschaafde manieren bij te brengen. Zij was een heilige koe, dus een toonbeeld van beleefdheid en goede manieren.

'Luister goed,' sprak ze tot de kinderen, maar die deden alles behalve luisteren. Ze fluisterden elkaar iets in het oor.

'Praat altijd luidop,' gebood ze, maar de twee keken haar sluw aan.

'Wij vroegen ons af hoe je het woord "verdorie" spelt,' vroeg een van hen.

Liesje keek geschokt.

'Euh..,' stotterde ze, 'als je iets wil vragen, moet je eerst je hand opsteken.'

'Weet je het niet?' vroeg het kereltje brutaal.

Liesje had geleerd dat je zelfs op de allermoeilijkste vragen een antwoord moest geven. Dat is beleefd.
'Natuurlijk weet ik hoe je "verdorie" spelt,' antwoordde ze vriendelijk, 'maar...'
Verder kwam ze niet. De twee kinderen zaten luidop te schateren.
'Wat valt er te lachen?' vroeg Liesje.
'Je hebt "verdorie" gezegd', antwoordde het kind, 'en ik dacht dat heilige koeien niet mochten vloeken!'
De twee kwamen niet meer bij.
Heilige koeien worden nooit boos, of ze laten het toch niet merken. Maar Liesje was vast even vergeten dat ze heilig was en ze vloekte alsof de duivel zich ermee bemoeide.

'Potvrrrdrie en verdrrrie nog aan toe!' riep ze uit.

De kinderen zagen het onheil waaien, en vluchtten met een plofje uit de hoed.

'Als ik die twee rotzakken in mijn handen krijg, zal ik ze een lesje leren,' siste Liesje woedend.

De anderen wisten niet goed wat ze moesten aanvangen met een heilige koe die de sterren van de hemel vloekte. Pas toen de zon onderging, hield ze op.

Maar de kinderen waren weg. De rust in de hoed was teruggekeerd. En Liesje beloofde heilig dat ze nooit meer zou vloeken. Dus iedereen kon in vrede z'n huis of z'n holletje weer opzoeken, en genieten van een welverdiende nachtrust. Hèhè.

11.

Op het gesnurk van Gilbert na, was het helemaal stil in de hoed. Iedereen sliep. Of toch niet: Marleen, merrie, was nog wakker. En ze huilde.

Ze had het nooit durven toegeven, maar eigenlijk had ze heimwee naar Hanne, het mensje dat haar verzorgde. Marleen kon zo genieten van het roskammen en van de lange wandelingen in het bos. En Hanne was altijd heel lief voor haar geweest. Iedere avond kwam ze trouw goeienacht wensen, met een lekkere wortel en een nachtzoen. Marleen zou er alles voor over hebben om nog een keer door Hanne gestreeld te worden. Maar ze was bang dat de andere dieren haar zouden uitlachen, of boos zouden worden. De mensjes waren immers allemaal boemannen en schurken. Tenminste, zo dachten de meeste dieren erover. Marleen niet.

Er spookte al enkele dagen een idee door haar hoofd: waarom zou ze niet stiekem even oversteken naar de mensenwereld? Enkele uurtjes maar, net de tijd om bij Hanne langs te gaan. En zo kort dat niemand zou merken dat ze weggeweest was. Ja, vanavond zou ze het proberen.

50

Marleen sloop voorzichtig en heel stilletjes om niemand wakker te maken door de hoed. Ze koos de eerste de beste uitgang en verdween met een plofje naar buiten. Het felle licht deed pijn aan haar ogen. Heel even dacht ze dat ze blind was, maar toen bleek dat er een lading spotlights op haar gericht stond.

'Cut!' hoorde ze iemand in de verte roepen. 'Dit staat niet in het scenario.'

De man klonk nogal uit z'n humeur.

Iemand knipte de lichten uit. Toen zag Marleen het: ze stond in een tv-studio.

Dat vond ze natuurlijk heel leuk. Ze droomde er al jaren van om een keer op het scherm te komen.

'Mag ik de groetjes doen aan mijn vrienden in de hoed?' vroeg ze aan de vrouw die achter de camera stond.

'Dat moet je eerst aan de regisseur vragen,' antwoordde ze.

En raad eens: het mocht. Marleen profiteerde ervan om ook nog een liedje te zingen. Ze hinnikte wel een beetje vals, maar dat werd door de vingers gezien.

Daarna werd ze uitvoerig door allerlei mensjes van de krant ondervraagd. Ze wilden allemaal weten waarom de dieren vertrokken waren.

'Wat zou jij doen als je ergens woonde waar men je maar een dom schepsel vond?' vroeg Marleen aan de man van de krant.

'Verhuizen,' antwoordde die.

'Juist, daarom dus,' zei Marleen. En ze voegde

eraan toe dat ze eigenlijk alleen voor Hanne was teruggekomen.

Die had natuurlijk alles op de tv gezien en ze stond haar bij de uitgang van de tv-studio op te wachten. Het was een mooi weerzien. Het meisje klom op de rug van de merrie, sloeg haar armen om de nek van het paard en drukte zich dicht tegen de rug van het dier aan. Marleen stapte heel statig naar buiten. Ze wandelde weg, de stad uit.

Wat genoten ze allebei van de rit door de velden. Marleen rende alsof haar leven ervan afhing. Ze sprong over sloten en over heggen. Het was een heerlijke wandeling.

Maar plotseling was het avond. En Marleen vond dat ze moest terugkeren.

'Doe dat nou niet,' smeekte Hanne. 'Blijf bij me. Ik zal alles voor je doen.'

'Alles?' vroeg Marleen.

'Alles!' antwoordde Hanne.

'Erewoord?' vroeg Marleen.

'Erewoord!' antwoordde Hanne.

'Goed dan,' zuchtte Marleen. Zo'n aanbod kon ze toch moeilijk weigeren.

12.

'Het is echt waar hoor,' brieste Marleen. 'Hanne wil alles voor me doen.'

'Kom nou!' lachte Jon, bizon. 'Wie gelooft er nou in de kletspraatjes van mensjes?'

'Ik,' riep Marleen. Woedend was ze. 'En ik zal jullie bewijzen dat ik gelijk heb!'

'En hoe denk je dat te doen?' vroeg Jon.

'Gewoon,' antwoordde Marleen.

'Nou, ik ben benieuwd,' lachte Jon.

Marleen was naar de hoed teruggekeerd omdat ze vond dat de dieren mochten weten dat ze bij Hanne wilde wonen. Maar iedereen vond haar een verraadster, want de mensjes waren onbetrouwbaar en slecht. Marleen vond dat net zo'n onzin als beweren dat alle dieren dom waren. En ze vertrok, met een plofje.

Hanne was natuurlijk dolblij dat Marleen terug was. Ze liet er geen twijfel over bestaan dat het haar menens was met de belofte. Marleen hoefde maar te zuchten - Wil jij iets voor me doen, Hanne? - of Hanne draafde al op. Niets was haar te veel. Ze ververste het stro tweemaal per dag, plukte de klontertjes aarde tussen de haver uit en poetste Marleens tanden met heerlijke tandpasta met worteltjessmaak. In ruil voor alle verwennerij hielp Marleen haar met het huiswerk.

Op een middag kwamen enkele klasgenootjes van Hanne langs.

'Goh,' zuchtte er eentje, 'ik zou ook *alles* doen om Sven, m'n knuffelbeer, terug te krijgen.'

'Ja,' zuchtte een ander, 'ik zou ook *alles* doen om weer met Dukje, m'n badeend, in bad te kunnen gaan.'

'En ik zou *alles* doen om nog eens met Juul, m'n labrador, te kunnen wandelen.'

'Menen jullie dat?' vroeg Marleen.

'Erewoord!' kraaiden ze alledrie tegelijk.

En Marleen schreef een briefje naar Sven, Dukje en Juul waarin ze vertelde dat de kinderen *alles* wilden doen als ze maar terugkwamen. Ze schreef er ook bij hoe fijn het was als iemand *alles* voor je deed. Want dan hoefde je immers zelf *niets* te doen wat je niet leuk vond.

Dukje vond het een prima voorstel. In de hoed werd immers elke avond geloot wie de vaat moest doen. Hij had toevallig een hekel aan afwassen, maar was wel telkens de pineut. Hij greep dus z'n kans om voorgoed komaf te maken met die klus, en vertrok met een plofje.

Sven was ook blij met het nieuws. Hij had het net uitgemaakt met Marijke, egel, want die was de laatste tijd nogal prikkelbaar. Hij was dus weer op zoek naar iemand om te knuffelen, en plof, weg was hij.

Juul twijfelde. De mensjes konden veel beloven, maar voor je het wist moest je ze weer pootjes geven of kreeg je een leiband rond je hals. Hij schreef dus een briefje waarin hij eiste dat ze hem zwart op wit zouden beloven *alles* voor hem te doen. Enkele dagen later ontving hij zo'n contract. Hij pakte meteen zijn biezen en keerde met een plofje terug naar de mensenwereld.

De andere dieren bleven een beetje beduusd achter. Ze waren ook wel een beetje jaloers omdat er niemand was die *alles* voor hen wilde doen.

'Ik wil wel alles voor je doen, hoor,' krijste Wiske, mug, tegen Kurt, olifant. Maar dat was toch niet hetzelfde. Bovendien was Wiske verliefd op Kurt, dus was het nogal logisch dat ze alles voor hem wilde doen. Maar Kurt reageerde koeltjes op haar liefdesverklaring. Hij vond dat je van een mug geen olifant kon maken, dus moest je er ook niet mee beginnen zoenen en zo. Bovendien kon hij niet in hetzelfde bed slapen als een mug. Zo'n beest houdt je immers een hele nacht wakker. Wiske wist van liefdesverdriet niet waar ze moest kruipen, dus plofte ze naar de mensenwereld. Weg was ze.

En er verdwenen steeds meer dieren uit de hoed. Gilbert vond dat er hoognodig over de toekomst gepraat moest worden.

13.

De dieren zaten allemaal rond een groot kampvuur.
Sommigen dronken een kopje koffie, anderen een
glaasje water. Gilbert keek heel ernstig.
'Er moet iets veranderen,' sprak hij, 'anders gaat het
met deze hoed de verkeerde kant op.'
Wivina, regenworm, plofte naar buiten.
'Euh...,' stamelde Gilbert, 'waar gaat het met ons
naartoe?'
En plof, Sylvia, roodborstje, verdween ook al.
Gilbert krabde in zijn haar. Hij begreep er niets van.
'Ik vraag jullie..,' maar hij kreeg de kans niet om
zijn zin af te maken, want plof, plof, plof. Bert, Piet
en Pol, de broertjes pimpelmees, glipten eruit.
Gilbert bleef achter met een knalrode kop.
Hij kon niet weten dat een mensje, kleine David,
op de zolder een oude hoed gevonden had.
'Wat leuk!' riep zijn opa verrast toen
David met het ding naar beneden
kwam. 'Ik wist niet dat ik die nog
had!'
'Zou je het nog kunnen, opa?'
vroeg kleine David.

Opa wilde natuurlijk bewijzen dat hij nog niet te oud was om het te kunnen. Hij haalde een oude jas uit de kleerkast en maakte een sierlijke buiging.

'Dames en heren opgelet,' zei hij plechtig. De oude man hield zijn toverstaf omhoog. Toen hij ermee op de rand van de hoed tikte, gebeurde er iets heel bijzonders: er plofte een badeend uit de hoed, daarna een knuffelbeer en dan een hond. Opa en kleine David stonden paf.

Bij iedere tik plofte een ander dier tevoorschijn: een regenworm, een roodborstje, drie pimpelmezen, een koppel nijlpaarden, hommels, zebra's, een school stekelbaarsjes, en dat ging zo maar door. Nog wel honderdduizend andere soorten. Kleine David wist het nu heel zeker: zijn opa was de leukste opa van de hele wereld. Nog wel honderdduizend andere soorten. Als allerlaatste plofte er een ezel uit.

'Waar is iedereen?' vroeg het dier.

Kleine David haalde zijn schouders op. De ezel barstte in tranen uit.

'Het is afgelopen,' jammerde hij. 'Het is voorbij.'

Maar Gilbert vergiste zich. De mensjes waren immers dolgelukkig dat de dieren weer thuis waren. Iedereen was vastbesloten om voortaan met de dieren op te schieten, in plaats van ze dood te schieten. Er kwam zelfs een wet die bepaalde dat dieren altijd voorrang hadden in het verkeer. En er kwam een wet die vlooienbandjes verbood en alle middeltjes tegen luizen. En er kwam een wet die bepaalde dat de hoofdrol in een film alleen nog door een dier mocht worden gespeeld. Behalve in saaie films, daar mocht een bankbediende de hoofdrol spelen. En er kwam ook een wet die voorschreef dat je altijd moest lachen als een dier een grap vertelde, ook al was de grap zo flauw dat je er een beroerte van kreeg. Kortom, in de wet werd afgekondigd dat je veel van dieren moest houden en dat je ze geen pijn mocht doen. En als iemand de wet overtrad, moest hij als straf een week pannekoeken bakken voor Machteld en de andere olifanten. Dat was een klus

die je niet gauw vergat, want Machteld en haar vrienden waren enorme veelvraten. En Gilbert werd tot president verkozen. Dat had hij wel verdiend, vond iedereen. Behalve de vorige president, want die verveelde zich nu. En omdat iedereen dat zielig vond, mocht hij op vakantie met Tania, slak. Jammer genoeg vertelde Tania de ene flauwe grap na de andere. En toch moest de arme man erom lachen, want zo luidde nu eenmaal de wet.

O ja, er kwam ook nog een wet die bepaalde dat elke dag een feestdag was. Gelukkig voor de eendags-vlieg, want meestal leefde die niet lang genoeg om een feestdag mee te maken. Dus de toeters, bellen en feestneuzen werden tevoorschijn gehaald en het feest kon beginnen. Het bleef maar duren, er kwam geen eind aan het feest.

'Niets aan te doen,' zuchtte Paula, eekhoorn, 'dat is het leven!'

En ze danste verder.

Zolang de mensen dieren blijven slachten, zullen oorlogen blijven bestaan. Dat schreef ooit een wijze Rus. Je hebt immers geen twee harten: eentje voor mensen en een ander voor dieren. Je hebt maar één hart of je hebt er geen. Dat schreef ooit een wijze Fransman. Veel mensen vinden dat de Rus en de Fransman gelijk hebben. Maar veel meer mensen geven ze ongelijk. En dat is heel erg voor de dieren die mishandeld en vermoord worden.

Maar het kan nog allemaal veranderen. Dat lees je in Beestenhoed. In dit boek beleven de dieren en de mensen spannende, grappige en ontroerende avonturen. Op het einde van het boek merk je: het kan anders. Onze wereld kan een mooie plaats worden voor dieren en voor mensen. Misschien wil je zelf op zoek naar een plek zoals de beestenhoed om de dieren te helpen en te redden. Wel, als je goed zoekt, zal je zo'n plek vinden. Want de beestenhoed bestaat. Velen hebben hem al gevonden.

Michel Vandenbosch
GAIA

Wil je de dieren helpen? Schrijf eens naar GAIA, een organisatie voor dierenrechten en dierenbevrijding. Het adres: Prinses Elisabethlaan 169, 1030 Brussel. Of bel ons: 02/245.29.50